Selena G

F

https://cam

Índice

Descargo de responsabilidad

Este libro biográfico es una obra de no ficción basada en la vida pública de una persona famosa. El autor ha utilizado información de dominio público para crear esta obra. Aunque el autor ha investigado a fondo el tema y ha intentado describirlo con precisión, no pretende ser un estudio exhaustivo del mismo. Las opiniones expresadas en este libro son exclusivamente las del autor y no reflejan necesariamente las de ninguna organización relacionada con el tema. Este libro no debe tomarse como un aval, asesoramiento legal o cualquier otra forma de consejo profesional. Este libro se ha escrito únicamente con fines de entretenimiento.

Introducción

Adéntrese en la cautivadora trayectoria de Selena Marie Gomez, la polifacética cantante, actriz, empresaria y productora estadounidense, en esta completa biografía. Nacida el 22 de julio de 1992, Gomez cautivó por primera vez como actriz infantil en la popular serie de televisión infantil "Barney y sus amigos", antes de saltar al estrellato con su emblemático papel de Alex Russo en "Los magos de Waverly Place", de Disney Channel.

La influencia de Gómez va más allá de la actuación, y su exitosa carrera musical ocupa un lugar central. Tras fichar por Hollywood Records en 2008, formó la banda de pop-rock "Selena Gomez & the Scene", que obtuvo certificaciones de oro y platino por sus álbumes y singles. Al optar por una carrera en solitario, los álbumes de estudio en solitario de Gómez debutaron sistemáticamente en los primeros puestos de la lista Billboard 200 de Estados Unidos, demostrando su versátil talento.

Más allá de la industria del entretenimiento, Gomez es célebre por sus esfuerzos filantrópicos. Como embajadora de UNICEF desde 2009, trabaja activamente para concienciar sobre la salud mental y la igualdad de género, racial y LGBT. En 2020, Gómez lanzó la empresa de cosméticos Rare Beauty y creó el Rare Impact Fund, dedicado a la concienciación sobre la salud mental.

Esta biografía explora las impactantes contribuciones de Gómez a la música, el cine y las obras de caridad, mostrando su resistencia, talento y dedicación para tener un impacto positivo en el mundo. Gomez, pionera por derecho propio, sigue siendo un faro de inspiración para fans de todo el mundo.

Selena Gómez

Selena Marie Gomez (nacida el 22 de julio de 1992) es una cantante, actriz, empresaria y productora estadounidense. Gomez comenzó su carrera como actriz infantil en la serie *Barney & Friends* (2002-2004). Saltó a la fama y se convirtió en un ídolo adolescente por su papel protagonista de Alex Russo en la comedia de Disney Channel *Los magos de Waverly Place* (2007-2012). En 2008 firmó un contrato con Hollywood Records. Como vocalista principal, formó la banda de pop rock Selena Gomez & the Scene, y publicó tres álbumes de estudio de 2009 a 2011; cada uno de los álbumes y singles de la banda fueron certificados como disco de oro o superior por la RIAA.

Prefiriendo una carrera musical en solitario, Gomez comenzó a publicar álbumes de estudio en solitario en 2013, todos los cuales han debutado en los primeros puestos del *Billboard* 200 de Estados Unidos. Su primer disco, *Stars Dance* (2013), inspirado en la EDM, dio como resultado el sencillo "Come & Get It", que se situó en el top ten internacional. En busca de un mayor control artístico, Gomez firmó con Interscope Records y lanzó el conjunto electropop *Revival* en 2015, apoyado por los singles top-ten "Good for You", "Same Old Love" y "Hands to Myself". La continuación, *Rare* (2020), encabezó once listas de éxitos en todo el mundo, y fue liderada por el sencillo "Lose You to Love Me", que marcó el primer número uno de Gomez en el *Billboard* Hot 100 estadounidense y en el Hot 100 canadiense. Incursionó en la música en español con el EP *Revelación* (2021), que le valió su primera nominación a los premios Grammy. Gómez también ha lanzado varios sencillos en colaboración, entre ellos "We Don't Talk Anymore", "It Ain't Me", "Wolves", "Taki Taki" y "Calm Down (Remix)", el último de los cuales se convirtió en la canción afrobeats de mayor éxito comercial de todos los tiempos.

Gómez ha protagonizado múltiples películas, incluida la voz de Mavis en la franquicia cinematográfica *Hotel Transylvania* (2012-2022). En televisión, ha producido la serie dramática para adolescentes *13 Reasons Why* (2017-2020), el documental *Living Undocumented* (2019), su programa de cocina *Selena + Chef* (2020-presente) y la serie de comedia de misterio *Only Murders in the Building* (2021-presente), en la que interpreta un papel protagonista. En su carrera musical y como actriz, así como por su labor benéfica y empresarial, ha recibido numerosos galardones, como un American Music Award, un *Billboard* Music Award, dos MTV Video Music Awards, ha batido 16 *récords Guinness* y ha sido nominada a cuatro premios Emmy, dos premios Grammy, dos Globos de Oro y un Grammy Latino.

Conocida por su filantropía, Gomez colabora con varias organizaciones benéficas, centrándose en la concienciación sobre la salud mental y la igualdad de género, racial y LGBT; es embajadora de UNICEF desde 2009. En 2020 lanzó la empresa de cosméticos Rare Beauty y fundó el Rare Impact Fund, una iniciativa sin ánimo de lucro que se ha comprometido a recaudar 100 millones de dólares en diez años para concienciar sobre la salud mental. Gomez ha sido incluida en listas como *Time* 100 (2020) y *Forbes* 30 Under 30 (2016 y 2020), y fue nombrada Mujer *Billboard* del Año en 2017. *Billboard* la clasificó como una de las artistas más exitosas de la década de 2010. Es la mujer más seguida en Instagram desde 2024.

Primeros años

Selena Marie Gomez nació el 22 de julio de 1992 en Grand Prairie (Texas), hija de Ricardo Joel Gomez y de la ex actriz texana Mandy Teefey. Debe su nombre a la cantante tejana Selena Quintanilla, fallecida en 1995. Su padre es de ascendencia mexicana, mientras que su madre, que fue adoptada, tiene ascendencia italiana. Los abuelos paternos de Gómez emigraron a Texas desde Monterrey en la década de 1970. De su herencia, Gómez ha dicho que es "una orgullosa estadounidense-mexicana de tercera generación" y que "mi familia celebra quinceañeras y vamos a la iglesia de la comunión. Hacemos todo lo que es católico, pero realmente no tenemos nada tradicional excepto ir al parque y hacer barbacoas los domingos después de la iglesia." Gómez habló español con fluidez hasta los siete años. Sus padres se divorciaron cuando ella tenía cinco años, y se quedó con su madre. Gómez tiene dos hermanastras y un hermanastro menores: Gracie Elliot Teefey, por parte de Mandy y su segundo marido, Brian Teefey, y Victoria "Tori" y Marcus Gómez, por parte de Ricardo y su segunda mujer, Sara. En mayo de 2010 obtuvo el título de bachillerato gracias a la educación en casa.

Gomez nació cuando su madre tenía 16 años. La familia tuvo problemas económicos durante toda la infancia de

Gómez, y su madre luchaba por mantener a la pareja. En un momento dado, Gómez recuerda que tenían que buscar monedas sólo para echar gasolina al coche. Más tarde, su madre recordó que los dos solían ir andando a la tienda de todo a cien para comprar espaguetis para cenar. Gómez ha dicho: "Me frustraba que mis padres no estuvieran juntos, y nunca vi la luz al final del túnel donde mi madre trabajaba duro para proporcionarme una vida mejor. Me aterra en lo que me habría convertido si me hubiera quedado [en Texas]". Más tarde añadió que su madre "fue muy fuerte conmigo. Tenerme a los 16 años tuvo que ser una gran responsabilidad. Lo dejó todo por mí, tenía tres trabajos, me mantenía, sacrificó su vida por mí". De niña, Gómez mantenía una estrecha relación con sus abuelos y participó en varios concursos. Sus abuelos la cuidaban a menudo mientras sus padres terminaban sus estudios, y ella ha dicho que la "criaron" hasta que encontró el éxito en el mundo del espectáculo.

Carrera profesional

2002-2006: Inicio de la carrera profesional

Gómez empezó a interesarse por el mundo del espectáculo viendo a su madre preparar obras de teatro. En 2002, comenzó su carrera como actriz en la serie infantil de televisión *Barney & Friends*, interpretando al personaje de Gianna. Fue su primer trabajo como actriz. Gómez recuerda: "De pequeña era muy tímida [...] No sabía lo que era 'cámara en ristre'. No sabía lo que era bloquear. Lo aprendí todo de *Barney*". Gomez apareció en trece episodios del programa entre 2002 y 2004; los productores del programa la dejaron en libertad por ser "demasiado mayor" para la serie. Mientras trabajaba en *Barney & Friends*, Gomez tuvo papeles secundarios en la película *Spy Kids 3-D: Game Over* (2003) y en la película para televisión *Walker, Texas Ranger: Trial by Fire* (2005). En 2006 participó como estrella invitada en un episodio de la serie de Disney Channel *The Suite Life of Zack & Cody*.

2007-2012: Irrupción con Disney y Selena Gomez & the Scene

Gomez tuvo un papel recurrente en la serie de Disney Channel *Hannah Montana* en 2007 como la estrella del pop Mikayla. Durante este tiempo, Gomez rodó episodios piloto para dos posibles series de Disney Channel; la primera era un spin-off de *Suite Life* titulado *¡Arwin! y la segunda* era un spin-off de *Lizzie McGuire* titulado *¿En qué está pensando Stevie*? Más tarde se presentó a una audición para un papel en la serie de la cadena *Los magos de Waverly Place,* y finalmente consiguió el papel protagonista de Alex Russo. Gómez y su madre se mudaron a Los Ángeles. En *Wizards of Waverly Place*, Gómez interpretaba a una adolescente de una familia de magos que posee un restaurante en Nueva York. La serie se convirtió rápidamente en un éxito de Disney Channel y supuso la irrupción de Gómez en el gran público. El papel le valió el estatus de "ídolo adolescente". También se convirtió en una de las diez estrellas de la televisión infantil mejor pagadas de todos los tiempos, con unos ingresos de entre 25.000 y 30.000 dólares por episodio. La serie recibió numerosos premios y nominaciones, y ganó el premio al mejor programa infantil en la 61ª edición de los Primetime Emmy Awards. Recibió críticas positivas, especialmente elogiadas por la comicidad y el sarcasmo de Gómez.

¡En 2008, mientras trabajaba en la segunda temporada de su serie, Gómez puso voz a Helga junto a Jim Carrey, Steve Carell y otros en la película de animación *Horton Hears a Who!* La película se convirtió en un éxito comercial y de crítica, recaudando más de 300 millones de dólares en todo el mundo. En septiembre del mismo año, se estrenó la película de comedia musical para adolescentes *Another Cinderella Story (Otra historia de Cenicienta)*, en la que Gómez interpretaba el papel principal de una aspirante a bailarina, Mary Santiago, la película se convirtió en la segunda entrega de la serie *A Cinderella Story (Una historia de Cenicienta)*, estrenada en vídeo directo. Gomez grabó tres canciones para el álbum de la banda sonora, incluido el sencillo "Tell Me Something I Don't Know", que se convirtió en la primera entrada de Gomez en el *Billboard* Hot 100 de EE.UU., y el estreno del vídeo musical tuvo lugar en el programa *Total Request Live* de MTV. Este papel le valió un Young Artist Award. También grabó la canción original "Fly to Your Heart" para el álbum de la banda sonora de la película de animación *Campanilla* (2008). En 2008, a los 16 años, Gomez firmó un contrato con Hollywood Records y creó su propia productora, July Moon Production. Se asoció con XYZ Films para el proyecto, lo que le permitió optar a artículos, contratar guionistas y crear paquetes de talento para vender a los estudios. Gómez tenía previsto estrenar dos películas con la compañía. La primera, titulada *What Boys Want (Lo que quieren los chicos)*, presentaría a Gómez como una chica que puede escuchar los pensamientos de los hombres. Más tarde anunció una adaptación cinematográfica de la novela *Thirteen Reasons Why*, en la que iba a interpretar a una joven que se suicida; finalmente, ninguna de las dos películas se realizó, pero más tarde, Gomez producirá una adaptación televisiva de esta novela.

Gomez siguió cosechando éxitos durante el año siguiente, apareciendo como Alex Russo en un episodio de la serie de Disney Channel *The Suite Life on Deck* en 2009. También actuó como invitada en la serie de Disney Channel *Sonny with a Chance*. Gomez, junto con Demi Lovato, protagonizó la película de Disney Channel *Princess Protection Program,* que se emitió en junio de 2009. La película tuvo un total de 8,5 millones de espectadores durante su estreno. Para la banda sonora de la película, la pareja grabó la canción "One and the Same", que alcanzó el número ochenta y dos en las listas de ventas de EE.UU. A continuación protagonizó *Wizards of Waverly Place: The Movie*, una película para televisión basada en la serie. La película se estrenó en agosto con una audiencia de 11,4 millones de telespectadores, convirtiéndose en la serie de televisión por cable número uno del año, y fue la segunda película de televisión por cable más vista, por detrás de *High School Musical 2.* Roxana Hadadi, de *The Washington Post,* elogió a los tres intérpretes -Gómez, David Henrie y Jake T. Austin- por sus "dotes interpretativas, que son la base de la película". La película le valió a la serie su segundo Emmy consecutivo al Mejor Programa Infantil en la 62ª edición de los Primetime Emmy Awards. Gomez grabó tres canciones en la banda sonora de la serie de televisión y la película, incluido el sencillo "Magic", que alcanzó el número sesenta y uno en EE.UU. Después puso voz a la princesa Selenia en la película francesa de animación y acción en vivo en inglés *Arthur and the Revenge of Maltazard* (2009).

Con la esperanza de entrar en la industria musical, Gomez formó la banda de pop rock Selena Gomez & the Scene a través de su contrato discográfico con Hollywood Records. El nombre de la banda es una "burla irónica" a quienes llamaban a Gómez "aspirante a scene". El álbum de estudio debut de la banda, *Kiss & Tell*, influenciado por el pop rock y el rock electrónico, se publicó en septiembre de 2009. El álbum recibió críticas mixtas de los críticos, BBC News describió el álbum como "[...] rápido y lleno de energía [...]", y Mikael Wood de *Billboard* escribió: "[...] su música podría usar más de ella en ella". *Kiss & Tell* debutó en el número nueve del *Billboard* 200 estadounidense, con unas ventas en la primera semana de 66.000 unidades equivalentes a un álbum, y pasó allí 59 semanas no consecutivas. Aunque su sencillo principal no tuvo éxito comercial ni de crítica, el segundo sencillo, "Naturally", se convirtió en un gran avance y en el primer sencillo de gran éxito en la carrera de Gomez, alcanzando el número veintinueve en Estados Unidos, y el top-ten en muchos países europeos, incluido el número siete en el Reino Unido. En una entrevista concedida a los Grammy 2021, Gomez atribuyó a la comunidad LGBT el mérito de haber impulsado su carrera musical y haberla apoyado antes que nadie. Dijo: "Recuerdo que cuando salió a la venta, empezó a sonar en los bares gays antes que en ningún otro sitio", y les está muy agradecida por ello. "Espero que escuchen en mi música la importancia del amor propio y la fuerza que viene a través de la vunerabiliyu"-dijo Gómez, y añadió que siempre ha amado y apoyado de verdad a los gays desde la infancia. Todos los álbumes de estudio y singles de la banda fueron certificados oro o superior por la RIAA. En julio de 2010, Gómez protagonizó junto a Joey King *Ramona y Beezus*, una adaptación cinematográfica de la serie de novelas infantiles de Beverly Cleary, en la que interpretaba a Beezus Quimby. La película fue bien recibida por la crítica; Roger Ebert la describió como "un dulce saludo", y encontró a ambas actrices "atractivas". Más tarde, Gomez retomó el papel de voz de la princesa Selenia en *Arthur 3: La guerra de los dos mundos* (2010). El segundo álbum de estudio del grupo, *A Year Without Rain*, inspirado en el dance-pop y el synth-pop, se publicó en septiembre de 2010. Básicamente, el álbum no fue mal valorado por la crítica, muchos de los cuales calificaron el esfuerzo como una mejora con respecto a *Kiss & Tell* de 2009. El álbum debutó en el número cuatro en EE.UU., con unas ventas en la primera semana de más de 66.000 unidades equivalentes a un álbum, y también debutó en el número seis en Canadá. Los dos singles del disco, "Round & Round" y "A Year Without Rain", obtuvieron un éxito moderado. El grupo fue galardonado como Artista Revelación Favorito en la 37ª edición de los People's Choice Awards.

Selena Gomez & the Scene lanzaron su tercer y último, así como más exitoso álbum de estudio, *When the Sun Goes Down,* en junio de 2011. El álbum recibió críticas mixtas de los críticos, que elogiaron la producción del álbum y lo describieron como "[...] es un asunto muy profesional", el álbum también fue co-escrito por Britney Spears y Katy Perry. Debutó en el número cuatro en Estados Unidos con unas ventas en la primera semana de 78.000 unidades equivalentes a un álbum, alcanzando el número tres la semana siguiente, así como el número dos en Canadá y España. Su segundo sencillo, "Love You like a Love Song", aunque no alcanzó grandes cotas en las listas, llegando sólo al número veintidós en EE.UU. y pasando 38 semanas consecutivas allí, además de llegar al top-ten en Canadá y encabezar la lista en Rusia, se convirtió en un éxito mundial y en una de las canciones más exitosas, vendidas y populares de la carrera de Gómez. Alex Frank, de Pitchfork, calificó la canción de "clásico de culto del karaoke". En 2022, *Billboard* clasificó la canción como la mayor canción que alcanzó el número veintidós de todos los tiempos. Durante dos años consecutivos (2010-2011), la revista Billboard situó a Gómez en el tercer puesto de su lista 21 Under 21: Music's Hottest Minors, una clasificación anual de los músicos menores de 21 años más populares.

Gomez protagonizó la película de comedia *Monte Carlo* (2011), con Leighton Meester y Katie Cassidy; interpretó el papel principal de Grace, una adolescente "confundida con una socialité", Cordelia (también Gomez), "durante un viaje a París". Como preparación para el papel, aprendió a jugar al polo y recibió clases de dialecto para hablar con dos acentos británicos diferentes; el acento de Gómez se describió como "poco convincente". La película recibió críticas dispares. Nick Schager, de *Slant Magazine*, opinó que Gómez era "mona, pero demasiado sosa como para dotar a la película de un carácter vívido, excepto en las pocas escenas en las que da rienda suelta a su lado frío, sarcástico y desagradable como Cordelia". Ese año, Gomez apareció en un cameo en la película *Los Teleñecos*. Gomez presentó en junio los MuchMusic Video Awards en Toronto (Canadá) y en noviembre los MTV Europe Music Awards en Belfast (Irlanda del Norte).

2012-2014: *Estrellas de la danza* y el cine

Gomez confirmó en enero de 2012 que se tomaría un descanso de la música, poniendo Selena Gomez & the Scene en pausa. Ese mismo año, *Los magos de Waverly Place* terminó oficialmente su andadura en Disney Channel tras cuatro temporadas. Durante cinco años consecutivos (2009-2013), Gomez ganó el Kids' Choice

Award a la actriz de televisión favorita. Actualmente ostenta el récord de victorias individuales en los Kids' Choice Awards (12). En 2012, Gomez protagonizó la polémica película de comedia y crimen del director Harmony Korine *Spring Breakers* junto a James Franco, Vanessa Hudgens, Ashley Benson y Rachel Korine. La película se estrenó en la 69 edición del Festival Internacional de Cine de Venecia y se estrenó al año siguiente. La historia seguía a cuatro chicas universitarias que deciden atracar un restaurante de comida rápida para pagarse las vacaciones de primavera. Gómez interpretó un personaje más maduro que los anteriores y, según se dice, tuvo "un pequeño ataque de nervios en el rodaje". *Spring Breakers* recibió críticas positivas de los críticos, algunos la calificaron de clásico de culto en potencia. La película entró en muchas clasificaciones prestigiosas, como las 100 mejores películas del siglo XXI de la BBC y Las 50 mejores películas de la década de 2010 *de Rolling Stone*, entre muchas otras. Muchos críticos y tabloides se escandalizaron al ver a la "ídolo adolescente" Srta. Gómez en una película tan provocativa, en particular Manohla Dargis de *The New York Times* escribió: no es sorprendente que la Srta. Gómez renunciara a Disney. "En "Spring Breakers" [ella] tiene la oportunidad de simular el comportamiento que alimenta a los tabloides sin las humillaciones y el precio que se paga por aplastar su carrera [...]".

En febrero de 2012, Gomez recibió el papel de voz de Mavis Drácula en la película de animación *Hotel Transylvania*. En septiembre del mismo año, la película se estrenó en la 37.ª edición del Festival Internacional de Cine de Toronto y se estrenó en los cines ese mismo mes. La película recibió críticas dispares: algunos la calificaron de "boyante" y otros de "[...] demasiado ruidosa y con un guión poco elaborado para el público de más edad". *Hotel Transylvania tuvo* éxito comercial y recaudó 358 millones de dólares en todo el mundo. En 2013, Gomez protagonizó junto a Ethan Hawke la película de acción y suspense *Getaway*, en la que interpretaba a una joven hacker. La película fue un fracaso comercial y de crítica. Este papel le valió la primera y única nominación a la Peor Actriz en la 34ª edición de los premios Golden Raspberry. Christopher Orr, de *The Atlantic,* la describió como "una niña que intenta desesperadamente actuar como una adulta, pero sin tener ni idea de lo que eso puede suponer". En 2013, fue productora ejecutiva y protagonista del especial *El regreso de los magos: Alex contra Alex* en Disney Channel.

A pesar de las declaraciones anteriores de que se tomaría un descanso de la música, Gomez anunció en marzo de 2013 el lanzamiento de su álbum debut en solitario. En abril de 2013, Gomez lanzó "Come & Get It" como sencillo principal de su próximo álbum. Esta canción se convirtió en la primera entrada de Gomez en el top ten del

Billboard Hot 100 estadounidense, alcanzando el número seis, y también llegó al top ten en las listas de Canadá y el Reino Unido. El segundo sencillo del álbum, "Slow Down", alcanzó el número veintisiete en Estados Unidos. Gomez lanzó su álbum de estudio debut en solitario, *Stars Dance*, en julio de 2013. El estilo del disco estaba enraizado musicalmente en la EDM y el electropop. Recibió críticas dispares por parte de la crítica musical. En *Los Angeles Times,* August Brown opinó que el álbum era "el tipo de disco que se hace en 2013 si quieres mantener el azúcar pop de la cábala adolescente de Disney, pero mezclado con algunos cristales rotos y una hemorragia nasal en el baño del club". Sus producciones están enraizadas en el modo por defecto del pop-EDM actual [...]". Andrew Hampp, de *Billboard,* escribió: "[...] es una colección de 11 canciones pop de producción brillante que muestran a Gomez probando una serie de personalidades diferentes con su voz ligera pero capaz [...]". *Stars Dance se* convirtió en su primer álbum en debutar en el número uno del *Billboard* 200 de Estados Unidos, con unas ventas en la primera semana de 97.000 unidades equivalentes a un álbum. En ese momento, Gomez, que cumplía 21 años, se convirtió en la solista más joven en ocupar el primer puesto desde *Speak Now* de Taylor Swift en 2010. El álbum también alcanzó el número uno en Canadá. Gomez incorporó rutinas de baile coreografiadas en los vídeos musicales del álbum y en sus actuaciones promocionales en directo, habiéndose inspirado en artistas como Janet Jackson y Britney Spears. El vídeo musical de "Come & Get It" ganó el premio al Mejor Vídeo Pop en los MTV Video Music Awards de 2013.

En agosto de 2013, Gomez se embarcó en su primera gira mundial de conciertos en solitario, Stars Dance Tour, para seguir promocionando *Stars Dance*, con actuaciones en Norteamérica, Europa, Australia y Asia. En diciembre de 2013, Gomez canceló los conciertos de Australia y Asia, alegando que se tomaría un descanso para pasar tiempo con su familia. En enero de 2014, se informó de que Gómez había pasado dos semanas en Dawn at The Meadows, que es un centro de tratamiento en Wickenburg, Arizona, especializado en el tratamiento de adicciones y traumas en jóvenes. Su representante declaró que había pasado un tiempo allí "voluntariamente [...] pero no por abuso de sustancias". Gómez confirmó en 2015 que le habían diagnosticado lupus y que tras cancelar la gira entró en rehabilitación para someterse a quimioterapia. Gomez interpretó a Nina Pennington, una inocente estudiante de sobresaliente, en *Behaving Badly* (2014). El proyecto, rodado antes de que Gomez ingresara en rehabilitación, se estrenó en agosto con una acogida crítica y comercial generalmente negativa. Sin embargo, los críticos consideraron que la actuación de Gomez era superior a la película. Gomez también tuvo un papel secundario en el drama *Rudderless* (2014), el debut como director de William H. Macy. La película independiente se estrenó en el Festival de Cine de Sundance de 2014 y recibió una acogida desigual por parte de la crítica. En los Teen Choice Awards de 2014, Gomez fue galardonada con el Ultimate Choice Award por sus "contribuciones al mundo del entretenimiento". Actualmente, con 18 victorias, es la cuarta solista más premiada en los Teen Choice Awards. *Seventeen* también la nombró "la chica menor de 21 años más poderosa" en 2014.

En abril de 2014, Gomez había despedido a su madre y a su padrastro como sus managers, que habían desempeñado esas funciones desde su carrera en Disney. Gomez firmó después con dos nuevas agencias de talentos, WMA y Brillstein, para gestionar su carrera. *The Hollywood Reporter* informó: "El deseo de Selena de encontrar nuevos mánagers forma parte de una estrategia para "pasar a una carrera más orientada a los adultos en el cine y la música"", y deshacerse por fin de la imagen de "ídolo adolescente de Disney". Las noticias sobre el nuevo management de Gomez alimentaron los rumores de que su contrato con Hollywood Records estaba llegando a su fin. En noviembre de 2014, Gomez lanzó por sorpresa su nuevo sencillo "The Heart Wants What It Wants", y confirmó tras meses de especulaciones que lanzaría un álbum recopilatorio para finalizar su contrato con su discográfica. El sencillo se convirtió en su segundo éxito en Estados Unidos y alcanzó el top ten en

Canadá. Ese mismo mes, Gomez publicó su primer álbum recopilatorio en solitario de sus grandes éxitos, *For You*, que también incluye tres canciones totalmente nuevas. El álbum debutó en el número veinticuatro de la *lista Billboard* 200 de Estados Unidos, con 35.506 unidades equivalentes a un álbum en su primera semana. Gomez se separó oficialmente de Hollywood Records y firmó con Interscope Records en diciembre de 2014.

2015-2016: *Revival*

Mientras trabajaba en su segundo álbum de estudio, Gomez colaboró con el DJ alemán Zedd en "I Want You to Know", que salió a la venta en febrero de 2015 y debutó en el número diecisiete en EE.UU. En mayo, apareció en el vídeo musical de Taylor Swift para "Bad Blood". En junio, Gomez lanzó "Good for You" con el rapero ASAP Rocky como single principal de su segundo álbum de estudio. La canción debutó en el número uno de la lista Digital Songs con unas ventas en la primera semana de 179.000 copias, la mejor semana de ventas de un sencillo en la carrera de Gomez. Fue el primer debut en el número uno de la lista desde "Blank Space" de Swift (2014). "Good for you" se convirtió en el primer sencillo de Gomez en el Top 5 de la lista *Billboard* Hot 100, y su primer sencillo en el Top 40 de la lista Mainstream. También alcanzó los diez primeros puestos en las listas de Australia y Canadá. Posteriormente, Gomez volvió a poner voz a Mavis en

Hotel Transylvania 2 (2015); la película tuvo una buena acogida por parte de la crítica y un gran éxito comercial tras su estreno, con una recaudación de 474 millones de dólares en todo el mundo. Fue galardonada con el premio a la voz favorita de película de animación en la 42 edición de los People's Choice Awards.

Gomez lanzó su segundo álbum de estudio, *Revival*, en octubre de 2015. Se trata principalmente de un disco de dance-pop y electropop con vibraciones de R&B. El álbum fue valorado positivamente por la crítica, que alabó su producción y contenido lírico. En su artículo para *Rolling Stone*, Brittany Spanos afirmó que "*Revival* es un nombre audaz para el segundo álbum de una cantante de 23 años, pero de principio a fin, Gomez se lo gana", y señaló que "[e]ste es el sonido de una artista pop recién empoderada que crece en sus fortalezas como nunca antes." Kristen S.Hé, de *Billboard,* lo calificó de "uno de los álbumes pop más influyentes de finales de 2010". El álbum debutó en el número uno de la *lista Billboard* 200 de Estados Unidos con unas ventas en su primera semana de 117.000 unidades y fue certificado disco de platino por la RIAA. Sigue siendo la primera semana de ventas más alta de Gomez hasta la fecha. "Same Old Love" se lanzó como segundo sencillo del álbum y se situó en el primer puesto de la lista de los 40 Principales. También alcanzó el número cinco en EE.UU., empatando con "Good for You" como el sencillo más vendido de Gomez en ese momento, y llegó al número diez en Canadá. "Hands to Myself" fue el tercer sencillo del álbum y se convirtió en su tercer número uno consecutivo en los 40 Principales, convirtiendo a Gomez en una de las seis artistas femeninas que han conseguido tres sencillos del mismo álbum en lo más alto de la lista. El sencillo también alcanzó el top 10 en Estados Unidos y el top 5 en Canadá. Por su actuación en las listas musicales de *Billboard*, Gomez recibió el premio Chart-Topper en el evento *Billboard* Women in Music de 2015.

Gomez fue asesora clave durante la novena temporada del concurso de canto *The Voice*. Hizo un cameo en la película de Adam McKay *The Big Short* (2015). A continuación, protagonizó el papel de Dot, una joven autoestopista fugitiva, en la comedia dramática *The Fundamentals of Caring* junto a Paul Rudd, que se estrenó en el Festival de Cine de Sundance de 2016 en enero y se estrenó en Netflix cinco meses después. La película recibió una respuesta positiva de la crítica; Tristram Fane Saunders, de *The Daily Telegraph,* describió la actuación de Gómez como "impresionante" y "madura". Gomez actuó como invitada musical en un episodio de la comedia nocturna de sketches de la NBC *Saturday Night Live* en enero de 2016. "Kill Em with Kindness" se publicó como cuarto y último sencillo de *Revival* cuatro meses después. Gomez interpretó a la presidenta de una hermandad en la comedia *Neighbors 2: Sorority Rising* (2016); la película recaudó 108 millones de dólares en todo el mundo y recibió críticas entre positivas y mixtas.

Gomez se embarcó en su gira mundial Revival Tour en mayo de 2016. Afirmó que la gira se centraría únicamente en ella como artista y que contaría con menos coreografía y menos efectos que su gira anterior. Gomez comenzó a trabajar en su tercer álbum de estudio mientras estaba de gira y añadió una nueva canción titulada "Feel Me" al setlist de su Revival Tour. La canción se publicó más tarde, en febrero de 2020, debido a la gran demanda de los fans. Tras girar por Norteamérica, Asia y Oceanía, canceló las etapas de Europa y Sudamérica en agosto de 2016 debido a la ansiedad, los ataques de pánico y la depresión causados por su lupus. Gomez participó en el single de Charlie Puth "We Don't Talk Anymore". La canción fue un éxito internacional, y alcanzó los diez primeros puestos en Estados Unidos, Australia, Francia, España y encabezó las listas en Italia; y fue certificada 5× platino por la RIAA. El videoclip se convirtió en el vídeo musical más visto publicado en 2016 en YouTube, con más de 3.000 millones de reproducciones. Gomez tuvo un papel secundario en *In Dubious Battle* (2016) protagonizada y dirigida por James Franco. La película se estrenó mundialmente en la 73.ª edición del Festival Internacional de Cine de Venecia y recibió críticas decepcionantes. También participó como invitada en la serie de variedades de Comedy Central *Inside Amy Schumer*. Gomez y el cantante canadiense Tory Lanez participaron en el single del DJ noruego Cashmere Cat "Trust Nobody".

Tras la cancelación de su gira, Gomez volvió a ingresar en rehabilitación para centrarse en su salud mental y estuvo notablemente ausente de las redes sociales. En ese momento, era la persona con más seguidores en Instagram, y se convirtió en la primera persona en alcanzar los 100 millones de seguidores en la red. En febrero de 2023, recuperó su estatus como la mujer más seguida en la plataforma, y se convirtió en la primera mujer en alcanzar los 400 millones de seguidores en ella al mes siguiente. Entre 2015 y 2016, Gomez batió 9 *récords Guinness,* y en ese momento tenía la imagen de Instagram con más likes de todos los tiempos. Tras estar ausente de la escena pública durante cuatro meses, Gomez regresó triunfalmente a los medios haciendo su esperadísimo regreso desde que entró en rehabilitación en los American Music Awards 2016, donde se adueñó de toda la atención y se convirtió en la persona más comentada y mediática de la noche. Estaba nominada a Artista Femenina Favorita de Pop/Rock y a Artista del Año, y ganó la primera de estas candidaturas. Y su enérgico discurso se convirtió en uno de los más potentes de la historia reciente de los premios. En los iHeartRadio Music Awards de 2016, Gomez ganó Biggest Triple Threat, y en los *Billboard* Music Awards de 2016 fue nominada a dos premios, incluido Top Female Artist. Ese mismo año, fue incluida en la lista 30 Under 30 *de Forbes* en la categoría de música, y de nuevo en 2020 en su categoría "All-Star Alumni". *Billboard* nombró a Gómez una de las Top 50 Money Markers de 2016, una clasificación anual de los músicos más rentables del año, al haber ganado 8,8 millones de dólares solo con su carrera musical en 2016.

2017-2019: estrenos independientes y *13 Reasons Why.*

Gomez y el DJ noruego Kygo lanzaron un single juntos, "It Ain't Me", en febrero de 2017. La colaboración alcanzó los diez primeros puestos de la mayoría de las principales listas musicales de todo el mundo, incluidas las de Estados Unidos y el Reino Unido, y llegó al top cinco en Australia, Canadá, Alemania y muchos países europeos. La canción recibió nominaciones en los principales premios de todo el mundo, incluido el Top Dance/Electronic Song en los *Billboard* Music Awards 2018, y también es su canción más vendida en el Reino Unido, con más de 1,4 millones de unidades vendidas.

Gomez fue productora ejecutiva de la adaptación a serie de la novela *Thirteen Reasons Why*. La serie se estrenó en Netflix en marzo de 2017. La serie suscitó reacciones negativas de varias organizaciones benéficas de salud mental y comunidades de prevención del suicidio por su "contenido peligroso", ya que algunas personas consideraban que la serie daba glamour al suicidio. Gomez abordó la controversia diciendo que "nos mantuvimos muy fieles al libro y que inicialmente lo que [el autor] Jay Asher creó fue una historia maravillosamente trágica, complicada pero llena de suspense y creo que eso es lo que queríamos hacer. Queríamos hacerle justicia y, sí, [las reacciones] llegarán pase lo que pase. No es un tema fácil de tratar, pero me siento muy afortunado de cómo está funcionando". A pesar de la polémica, la primera temporada fue un éxito de crítica. Sin embargo, las otras tres temporadas recibieron críticas generalmente negativas. *13 Reasons Why* fue el programa más tuiteado de 2017 y la serie original en streaming más vista de 2018. En 2022, su segunda temporada se sitúa como la novena serie de televisión en inglés más vista en Netflix, con 496,1 millones de horas vistas en los 28 días posteriores a su estreno. La serie finalizó tras cuatro temporadas en junio de 2020. Gomez grabó una versión de la canción "Only You" para la banda sonora de la primera temporada de la serie.

En mayo de 2017, Gomez lanzó el single "Bad Liar", junto con un vídeo musical vertical que solo estaba disponible en streaming a través de Spotify; fue el primer vídeo musical estrenado en Spotify. La canción recibió el aplauso universal de la crítica musical, y algunos la consideraron la mejor canción de Gomez hasta la fecha; *Billboard* la clasificó como la mejor canción de 2017. *Rolling Stone* situó "Bad Liar" en el número 39 de su lista de 2019 de las mejores canciones de la década de 2010. Winston Cook-Wilson, de la revista *Spin,* consideró que la voz de Gomez es prístina y que la canción es "encantadoramente extraña", y calificó su letra y el uso de samples de "descabellados pero, en última instancia, brillantes". Cook-Wilson apreció que "Bad Liar" evitara las tendencias radiofónicas contemporáneas y concluyó que "en su mayor parte suena a sí misma, y no hay mayor cumplido que hacerle". Gomez lanzó el single "Fetish" con el rapero Gucci Mane dos meses después. En octubre de 2017, Gomez y el productor de EDM Marshmello lanzaron el sencillo "Wolves". La canción fue un éxito comercial y alcanzó el top ten en las listas de Australia, Canadá, Reino Unido y varios países europeos, llegando al número veinte en Estados Unidos. Ese mismo año, Gomez fue nombrada Mujer del Año por *Billboard*, en reconocimiento a su influencia y éxito comercial.

En mayo de 2018, Gomez lanzó el sencillo "Back to You", de la *banda sonora de la segunda temporada de 13 Reasons Why*. La canción alcanzó el top cinco en las listas de Australia y Canadá, y llegó al número dieciocho en Estados Unidos. Gomez volvió a poner voz al personaje de Mavis en *Hotel Transylvania 3: Vacaciones de verano*, estrenada en julio de ese año. Con unos ingresos en taquilla de 528 millones de dólares, la película fue un éxito comercial y recibió críticas entre positivas y mixtas. Gomez apareció en la canción de DJ Snake "Taki Taki" junto a Ozuna y Cardi B, lanzada en septiembre de 2018. El sencillo alcanzó el éxito mundial, llegando al top ten en Canadá, Francia, Alemania, Italia, y encabezó las listas en España y varios países latinoamericanos. También alcanzó su punto máximo en el número once en EE. UU. La canción recibió nominaciones para el *Billboard* Music Award y el iHeartRadio Music Award a la Canción Latina del Año, pero finalmente ganó la Canción del Año en los Latin American Music Awards 2019. De 2011 a 2018, Gómez tuvo una racha de 16 éxitos consecutivos en el top 40 del *Billboard* Hot 100, que es la racha activa más larga de cualquier artista según *Billboard*. En noviembre de 2018, Gomez superó a Drake y se convirtió en la artista con más streaming de Spotify con 46 millones de oyentes mensuales mientras no lanzaba nuevo álbum desde 2015 (Ariana Grande superó más tarde este récord). Gomez también participó en el single de Julia Michaels "Anxiety", publicado en enero de 2019, y lanzó al mes siguiente una colaboración con Tainy, Benny Blanco y J Balvin, titulada "I Can't Get Enough".

Gomez apareció en la comedia de terror de Jim Jarmusch *Los muertos no mueren* (2019). La película tuvo su estreno mundial en el Festival de Cannes de 2019, donde generó críticas mixtas. Ese año, protagonizó la comedia romántica de Woody Allen *Un día lluvioso en Nueva York*, junto a Timothée Chalamet y Elle Fanning. Debido al resurgimiento de la acusación de abusos sexuales contra

Allen en 1992, impulsada por el movimiento Me Too (Yo también), Gómez hizo una donación de más de un millón de dólares, superior a su salario de la película, a la iniciativa Time's Up. La película recibió críticas mixtas de la crítica, pero la actuación de Gomez fue elogiada; Jessica Kiang, de *Variety,* escribió: "Gomez es la mejor del reparto más joven, abriéndose paso a través de algunas de las mejores líneas de la película". Gomez fue productora ejecutiva de la docuserie de Netflix *Living Undocumented*, estrenada en octubre de 2019, que sigue a ocho familias indocumentadas en Estados Unidos. La docuserie fue un éxito de crítica. Según un artículo de opinión escrito por Gómez para *Time* el 1 de octubre de 2019, Gómez dijo que se le acercó al proyecto en 2017 y decidió involucrarse después de ver imágenes que capturaban "la vergüenza, la incertidumbre y el miedo con los que vi luchar a mi propia familia. Pero también capturó la esperanza, el optimismo y el patriotismo que tantos inmigrantes indocumentados aún guardan en sus corazones a pesar del infierno por el que pasan."

2020-presente: *Rare*, *Revelación* y proyectos televisivos

En octubre de 2019, Gomez lanzó "Lose You to Love Me" como sencillo principal de su tercer álbum de estudio. Al día siguiente, lanzó por sorpresa el segundo sencillo del álbum, "Look at Her Now". "Lose You to Love Me" se convirtió en su primera canción número uno en Estados

Unidos y Canadá, y alcanzó los cinco primeros puestos de varias listas nacionales de todo el mundo, incluidas las de Australia y el Reino Unido. *Rare* salió a la venta en enero de 2020 y debutó en lo más alto en Estados Unidos, con 112.000 unidades equivalentes a un álbum en su primera semana. Se convirtió en su tercer álbum número uno consecutivo en Estados Unidos y encabezó las listas de Australia, Canadá y otros territorios, alcanzando el número dos en el Reino Unido. Jem Aswad, de *Variety*, calificó *Rare de* "uno de los mejores álbumes pop de los últimos tiempos" y lo describió como "música sofisticada, escrita con precisión y producida con maestría". Otros singles del álbum son "Rare" y "Boyfriend".

En enero de 2020, Gomez puso voz a una jirafa en la película de aventuras *Dolittle*, dirigida por Stephen Gaghan. La película, protagonizada por Robert Downey Jr, fue una decepción de taquilla y recibió críticas negativas de los críticos, que la calificaron de "demasiado larga [y] sin vida." Gómez fue anfitriona y productora ejecutiva del programa de cocina *Selena + Chef*, de HBO Max, en el que Gómez aparece acompañada por un chef diferente en cada episodio; inicialmente se realizó a distancia debido a la pandemia de COVID-19. Cada episodio destaca una organización benéfica relacionada con la comida. El programa se estrenó en agosto de 2020 y fue bien recibido por la crítica. Se emitió durante cuatro temporadas, hasta septiembre de 2022, y fue nominada a

Serie Culinaria Sobresaliente en la 50ª edición de los premios Emmy diurnos. Gomez ganó un Critics' Choice Real TV Award por su trabajo en el programa. En mayo de 2023, se anunció que Food Network había encargado dos proyectos que serían conducidos por Gómez. El primero, Selena *+ Chef: Home for the Holidays (Selena + Chef: En casa por vacaciones), un* especial navideño de cuatro episodios, también producido por Gómez, que se estrenó el 30 de noviembre y concluyó el 21 de diciembre de 2023. En 2024 se estrenará una serie de cocina interactiva. En junio, Gomez apareció en un remix de la canción de Trevor Daniel, "Past Life". Ese año fue productora ejecutiva de dos películas: la comedia romántica *The Broken Hearts Gallery*, estrenada en septiembre de 2020 con críticas positivas, y la comedia dramática para adolescentes *This Is the Year*. En agosto, Gomez colaboró con el grupo surcoreano Blackpink en "Ice Cream". La canción alcanzó el número trece en Estados Unidos y obtuvo 79,08 millones de visitas en sus primeras 24 horas, lo que supuso el tercer mayor debut en 24 horas de un vídeo musical en YouTube en ese momento. Ese año, Gómez fue galardonada por la Academia Latina de la Grabación como una de las Damas Líderes del Entretenimiento. También fue nombrada por *Time una* de las 100 personas más influyentes del mundo.

Gómez lanzó su primer proyecto en español, un EP titulado *Revelación*, en marzo de 2021. El disco mezcla reggaeton, pop latino y R&B con elementos urbanos, alejándose del sonido dance-pop de su predecesor, *Rare*. Debutó en el número veintidós en Estados Unidos, vendiendo 23.000 unidades equivalentes de álbum en su primera semana de lanzamiento, marcando la mayor semana de ventas para un álbum latino de una mujer desde *El Dorado* de Shakira en 2017. También debutó en lo más alto de la lista *Billboard* Top Latin Albums, convirtiéndose en el primer álbum de una mujer en hacerlo, también desde *El* Dorado de 2017. *Revelación* también debutó con 8,57 millones de streams en Spotify en sus primeras 24 horas, convirtiéndose en el mayor debut de un EP femenino en la plataforma. El EP recibió la aclamación universal y se convirtió en el proyecto de Gómez mejor valorado en Metacritic, un sitio web que recopila reseñas de críticos musicales profesionales, y fue nominado a Mejor Álbum Pop Latino en la 64ª edición de los Premios Grammy. También recibió nominaciones a Álbum Pop Latino del Año en las ceremonias de entrega de premios *Billboard* Latin Music, Latin American Music y Lo Nuestro. La expansión artística de Gómez fue elogiada; Matt Collar, de AllMusic, consideró que seguía siendo "artísticamente intrépida". Marcus Jones, de *Entertainment Weekly,* la definió como "una música mucho más versátil de lo que se cree". El disco produjo tres sencillos: "De Una Vez", "Baila Conmigo" con Rauw Alejandro, y "Selfish Love" con DJ Snake. Con este EP y el sencillo "Baila Conmigo", se convirtió en la primera artista femenina en encabezar simultáneamente las listas de Latin Albums y Latin Airplay de Estados Unidos en más de una década. El vídeo musical de "De Una Vez" fue nominado al Mejor Vídeo Musical Corto en la 22ª edición de los Premios Grammy Latinos. Gómez actuó en mayo en la ceremonia de apertura de la final de la Liga de Campeones de la UEFA 2021. Posteriormente colaboró con el cantante colombiano Camilo en una canción titulada "999".

Gomez protagonizó y fue productora ejecutiva de la serie de misterio y comedia de Hulu *Solo asesinatos en el edificio* junto a Steve Martin y Martin Short, que se estrenó en Hulu en agosto de 2021 y batió el récord de estreno de comedia más visto en la historia de Hulu. El programa fue renovado por una cuarta temporada en octubre de 2023. Antes del estreno oficial de la serie, Gomez reveló que estaba feliz de haber interpretado a un personaje que coincidía con su edad real actual, diciendo que "firmó [su] vida" con The Walt Disney Company al comienzo de su carrera y que "no sabía lo que estaba haciendo." La serie ha sido aclamada por la crítica y ha recibido numerosos elogios. Las interpretaciones y la química entre el trío protagonista fueron elogiadas por la crítica; Richard Roeper, del *Chicago Sun-Times*, escribió: "Gómez es una auténtica coprotagonista de la serie y hace un trabajo soberbio al compenetrarse con Martin y

Short para formar uno de los tríos de amistad más divertidos, aunque improbables, de los últimos tiempos." Gomez ganó el Satellite Award a la mejor actriz de serie de televisión musical o de comedia, fue nominada al Critics' Choice Television Award y dos veces al Globo de Oro y al Screen Actors Guild Award. Ganó dos veces el People's Choice Award a la estrella televisiva de comedia del año. En la 74ª edición de los premios Primetime Emmy, fue nominada como productora de la serie de comedia más destacada, lo que supuso la tercera vez en la historia de los premios que una latina figuraba entre las nominadas a productoras de series de comedia. Varios periodistas expresaron su decepción por no haber sido nominada al Emmy a la mejor actriz protagonista de una serie de comedia. Sus coprotagonistas, Steve Martin y Martin Short, emitieron un comunicado en el que decían: "Estamos un poco consternados por el hecho de que Selena no haya sido nominada porque es crucial para el trío, para el programa. En cierto modo, ella nos equilibra". Volvió a ser nominada para este premio en la ceremonia siguiente.

Gomez retomó el papel de Mavis y también ejerció de productora ejecutiva en la cuarta y última entrega de la franquicia Hotel Transylvania, *Hotel Transylvania: Transformania* (2022). En respuesta al aumento de casos de la variante Delta del SARS-CoV-2 en Estados Unidos, Sony Pictures canceló los planes de exhibición de la película. La película se estrenó en Amazon Prime Video en enero con críticas mixtas. Gomez fue nominada como productora ejecutiva a un premio Emmy Infantil y Familiar. Colaboró con la banda británica Coldplay en "Let Somebody Go", lanzado como single en febrero. Por su trabajo como artista invitada en el noveno álbum de estudio de Coldplay, *Music of the Spheres*, fue nominada a Álbum del Año en la 65 edición de los premios Grammy. En mayo, Gomez presentó un episodio de la comedia nocturna de la NBC *Saturday Night Live*. Más tarde, en diciembre, hizo un cameo en el programa. En julio, Gómez fue productora ejecutiva de la docuserie de ViX+ *Mi Vecino, El Cartel*. En agosto, participó en la remezcla de la canción "Calm Down", del artista nigeriano Rema. Fue un éxito internacional y alcanzó el número tres en la lista *Billboard* Global 200. El sencillo se convirtió en el noveno álbum de Gómez. El sencillo se convirtió en el noveno top ten de Gomez en Estados Unidos, alcanzando el número tres, y en su segundo número uno en Canadá, donde permaneció nueve semanas en el primer puesto del Hot 100 canadiense. Fue número uno en Global Excl. U.S. y Radio Songs durante 2 y 10 semanas, respectivamente, convirtiéndose en el primer líder de Gomez en ambas listas. "Calm Down" se convirtió en el número uno más duradero de todos los tiempos en la lista *Billboard* U.S. Afrobeats Songs, con 58 semanas en la cima. La remezcla alcanzó el número uno en *la lista Billboard* U.S. Pop

Airplay. *Billboard* la definió como "el mayor éxito crossover de Afrobeats". En los MTV Video Music Awards de 2023, la canción fue nominada a Canción del Año y ganó el premio a la Mejor Canción Afrobeats, mientras que en los *Billboard* Music Awards de 2023 ganó el premio a la Mejor Canción Afrobeats. Es la canción afrobeats más reproducida en Spotify (más de mil millones de reproducciones) y el vídeo musical de una canción afrobeats más visto (más de 700 millones de reproducciones) en YouTube en 2023.

Gomez fue el centro del documental "crudo e íntimo" dirigido por Alek Keshishian, *Selena Gomez: My Mind & Me*. La película se estrenó en el AFI Fest en noviembre de 2022 y se estrenó dos días después en Apple TV+ y en algunos cines. Su estreno tuvo una acogida positiva por parte de la crítica; el documental fue elogiado por su transparencia en materia de salud mental. Chris Azzopardi, de *The New York Times, lo describió* como un "retrato honesto del estrellato y la enfermedad mental". La película fue nominada al premio Emmy de las Artes Creativas en la categoría de Mejor Guión de un Programa de No Ficción, y recibió el Sello del Empoderamiento Femenino en el Entretenimiento de la Critics Choice Association, además de ganar el premio MTV Movie & TV al Mejor Documental Musical. Gómez lanzó la canción "My Mind & Me" coincidiendo con el estreno del documental. La canción recibió el premio *Variety a* la

"Canción cinematográfica del año". "My Mind & Me" fue preseleccionada para la categoría de Mejor Canción Original en la 95ª edición de los Premios de la Academia, pero no entró en las nominaciones finales. También en noviembre, reveló que estaba trabajando en su próximo álbum, al que seguiría una posible gira.

En marzo de 2023, Gómez apareció en el final de la segunda temporada de la serie de televisión documental *Dear....* de Apple TV+. El 25 de agosto de 2023 lanzó el single "Single Soon". Gomez declaró que se trata de una "canción divertida que escribió hace un tiempo y que es perfecta para el final del verano", ya que "aún no ha terminado" su cuarto álbum de estudio. La canción alcanzó el top 20 en la lista *Billboard* Global 200, así como en Canadá y Estados Unidos. El 1 de octubre, la cantante apareció por sorpresa en el escenario del concierto de Coldplay de su gira mundial Music of the Spheres en el Rose Bowl de Pasadena para interpretar "Let Somebody Go".

Próximos proyectos

Gómez protagonizará junto a Zoe Saldaña la comedia musical policíaca *Emilia Pérez,* que rodó de abril a junio de 2023 en París, dirigida por Jacques Audiard. El estreno está previsto para 2024.

En octubre de 2020, se anunció que Gómez iba a producir, y posiblemente protagonizar, la película de suspense y terror *Dollhouse*. En noviembre de 2020, Gómez fue anunciada como productora ejecutiva y protagonista de la película biográfica dirigida por Elgin James *In the Shadow of the Mountain,* basada en las memorias de Silvia Vásquez-Lavado, la primera mujer abiertamente gay en completar las Siete Cumbres. En abril de 2021, Gómez también iba a protagonizar el thriller psicológico *Spiral*. En marzo de 2022, un proyecto inspirado en *Sixteen Candles* titulado *15 Candles* comenzó a desarrollarse para Peacock, con Gómez como productora ejecutiva. En agosto de 2022, se anunció que Gómez estaba en conversaciones para producir un reinicio de *Working Girl* en Hulu. En diciembre, Gomez fue anunciada como productora del documental musical *Won't Be Silent*. En diciembre de 2023, Gomez reveló a través de Instagram que su próximo álbum de estudio saldrá a la venta antes de marzo de 2024. Gomez interpretará a Linda Ronstadt en una próxima película biográfica basada en su vida.

Artistry

Estilo musical

Gómez se describe como una artista pop. Su trabajo se caracteriza principalmente por ser dance-pop y EDM; sin embargo, ha experimentado con diferentes géneros musicales. Su álbum de debut con The Scene estaba influenciado por el rock electrónico y el pop rock, mientras que sus siguientes discos con la banda optaron por un sonido dance-pop. *A Year Without Rain* destacaba por sus características synth-pop, y *When the Sun Goes Down* presentaba una dirección musical más electropop y electro-disco. Su álbum de debut en solitario *Stars Dance estaba* enraizado en el género EDM-pop -la propia Gómez lo describió como "baby dubstep"- y tomaba elementos de la electrónica, la música disco, el techno y el dancehall. Sus canciones "The Heart Wants What It Wants" y "Good for You" han sido descritas como "minimalistas" y "adultas", introduciendo un sonido pop más adulto en su repertorio.

Influencias

Al principio de su carrera, Gomez citó a Bruno Mars como influencia por "su estilo de música, su estilo en general, su forma de actuar, su forma de comportarse". Gomez también ha citado como influencias a Christina Aguilera,

Britney Spears, Beyoncé, Rihanna y Taylor Swift. El álbum de debut en solitario de Gomez, *Stars Dance* (2013), estuvo muy influenciado por Spears, Swift y el productor de EDM Skrillex; su segundo álbum, *Revival, se* inspiró principalmente en el álbum de Aguilera *Stripped* (2002), así como en Janet Jackson y Spears.

Productos y avales

En 2009, Gomez formó parte de la campaña de moda de Sears para la vuelta al cole y apareció en anuncios de televisión. Fue la anfitriona del casting "Sears Arrive Air Band Casting Call" para seleccionar a cinco ganadores de la primera "Sears Air Band" que actuaría en los MTV Video Music Awards de 2009. También se convirtió en portavoz de Leche Borden y protagonizó la campaña de anuncios impresos y anuncios de televisión de la marca.

Tras anunciar sus planes de lanzar una línea de moda, Gómez lanzó la colección Dream Out Loud en 2010. Consistía en vestidos bohemios, tops florales, vaqueros, faldas, chaquetas, bufandas y sombreros, todos ellos confeccionados con materiales reciclados o ecológicos. Gómez declaró: "Con mi línea, realmente quiero dar a los clientes opciones sobre cómo pueden combinar sus propios looks [...] Quiero que las prendas sean fáciles de combinar, y que los tejidos sean ecológicos y orgánicos es muy importante [...] Además, las etiquetas tendrán algunas de mis citas inspiradoras. Sólo quiero enviar un buen mensaje". Para el proyecto, Gómez se asoció con los diseñadores Tony Melillo y Sandra Campos, que ya habían trabajado con grandes firmas de moda. Melillo y Campos se asociaron con Adjmi Apparel, con sede en Nueva York, para fabricar la marca, formada por Adjmi CH Brands LLC, el holding de la marca. De 2010 a 2014, Gómez trabajó con el minorista Kmart para lanzar la línea de ropa.

El 14 de julio de 2011 se anunció que Gómez había firmado un acuerdo de licencia con Adrenalina, una marca de deportes extremos y aventuras, para desarrollar, fabricar y distribuir su propia fragancia. El presidente y consejero delegado de Adrenalina, Ilia Lekach, dijo: "Estamos increíblemente entusiasmados de trabajar con la señorita Gómez y revelaremos más detalles relativos a la fragancia a medida que nos acerquemos a la fecha de lanzamiento." El perfume salió a la venta en mayo de 2012. En 2013, lanzó su segunda fragancia, Vivamore by Selena Gomez. También creó su propia colección de esmaltes de uñas para Nicole by OPI.

De 2013 a 2015, Gómez fue portavoz y colaboradora de Neo by Adidas. En 2015, Gomez firmó un contrato de patrocinio de 3 millones de dólares con Pantene. En 2016, Gomez apareció en una campaña de moda para la marca de lujo Louis Vuitton. También apareció en anuncios de la campaña "Share a Coke" de Coca-Cola, y los anuncios de la campaña y las letras de dos de sus canciones aparecieron en los envases de Coca-Cola de todo el país. En 2017, Gomez confirmó su colaboración con Coach, a partir de su línea de otoño, convirtiéndose así en el nuevo rostro de la marca y ganando 10 millones de dólares. La colección de bolsos de edición limitada se llamó línea "Selena Grace". La segunda colección de Gomez y "la primera colección de prêt-à-porter para Coach", llamada Coach X Selena Gomez, incluía ropa, prendas de abrigo y bolsos. Ese año, Gomez firmó un contrato de 30 millones de dólares con la marca deportiva Puma como embajadora de la marca, apareciendo en campañas como las de las zapatillas Phenom Lux lanzadas en marzo. Su colección con Puma, llamada SG x PUMA Strong Girl collection, se lanzó el 12 de diciembre de ese año y contenía productos desde zapatillas hasta atuendos athleisure. Desde 2017, Gomez ha sido una de las cinco personas mejor pagadas en Instagram, convirtiéndose en la persona mejor pagada en la plataforma de 2017. A partir de julio de 2023, Gomez gana 1,7 millones de dólares por publicación patrocinada en Instagram.

En abril de 2020, Gómez se convirtió en propietario e inversor de la marca de helados Serendipity. Gómez anunció que las marcas Serendipity donaron 1 dólar de cada pinta de helado y producto vendido en mayo al Fondo Rare Impact. En septiembre, lanzó su propia línea de maquillaje, "Rare Beauty". La línea de maquillaje fue nombrada Startup del Año en los premios WWD Beauty

Inc de 2020. En julio de 2021, Gómez lanzó una línea de trajes de baño con La'Mariette. En noviembre, Gómez cofundó la plataforma mediática sobre salud mental Wondermind. Al mes siguiente, se convirtió en inversora de la empresa de reparto de comida a domicilio Gopuff. En mayo de 2022, Gómez colaboró con Our Place en una línea de utensilios de cocina, la Summer Collection. En junio de 2023 salió a la venta una segunda edición. Gómez también donará el 10 % de los beneficios netos de su colección de utensilios de cocina en colaboración con Our Place a su Fundación Rare Impact, que se centra en la concienciación sobre la salud mental. En honor al Día Mundial de la Salud Mental, Gomez anunció que Sephora donó el 100 por cien* de las ventas de los productos Rare Beauty by Selena Gomez a la Fundación Rare Impact para servicios de salud mental en 24 horas.

Filantropía

UNICEF

En octubre de 2008, Gomez participó en la gala benéfica "Runway For Life" del Hospital Infantil St. Jude. Ese mismo mes, Gomez fue nombrada portavoz de UNICEF para la campaña Trick-or-Treat for UNICEF, que animaba a los niños a recaudar dinero en Halloween para ayudar a niños de todo el mundo. En agosto de 2009, Gomez, que entonces tenía 17 años, se convirtió en la embajadora más joven de UNICEF (Millie Bobby Brown superó más tarde este récord). En su primera misión oficial sobre el terreno, Gómez viajó a Ghana en septiembre de 2009 durante una semana para presenciar de primera mano las duras condiciones de los niños vulnerables que carecen de necesidades vitales como agua potable, alimentación, educación y atención sanitaria. Gómez explicó en una entrevista con corresponsales de Associated Press que quería utilizar su poder de estrella para concienciar sobre Ghana: "Por eso me siento muy honrada de tener una voz que los niños escuchan y tienen en cuenta [...] En mi gira había gente que me preguntaba dónde está Ghana, y lo buscaban en Google [...] y como fui allí, ahora saben dónde está Ghana. Es increíble". Gómez dijo, sobre su papel como embajadora, que "cada día mueren 25.000 niños por causas evitables. Me uno a UNICEF en la creencia de que podemos cambiar esa cifra de 25.000 a cero. Sé que podemos lograrlo porque en cada momento, UNICEF está sobre el terreno proporcionando a los niños la asistencia vital necesaria para garantizar que el cero se convierta en una realidad."

Gómez fue nombrada portavoz de la campaña Truco o Trato 2009 de UNICEF por segundo año consecutivo. En 2008 recaudó más de 700.000 dólares para la organización benéfica y declaró que espera poder recaudar un millón de dólares en 2009. Gomez participó en una subasta de famosos y presentó una serie web en directo en Facebook en apoyo de la campaña "Truco o trato". Volvió como portavoz de UNICEF para el 60 aniversario de la campaña Trick-or-Treat for UNICEF en 2010. Para celebrar el 60 aniversario de la organización, Gomez y The Scene celebraron un concierto benéfico, donando todo lo recaudado a la campaña. Gómez también animó a los adolescentes a donar a través de las redes sociales. También subastó artículos personales en CharityBuzz.com, diseñó una camiseta de Trick-or-Treat for UNICEF y participó en un pequeño concierto en Los Ángeles. Con la ayuda de Gómez, UNICEF recaudó 4 millones de dólares.

En febrero de 2011, Gómez viajó a Chile para reunirse con las familias del *"Programa Puente"*, apoyado por UNICEF, que ayudó a las familias a comprender mejor y desarrollar habilidades para hacer frente a la educación de la primera infancia, el desarrollo y otras cuestiones relacionadas con la crianza de los niños. Gómez señaló que "UNICEF está ayudando a las familias chilenas a salir de la pobreza, prevenir la violencia en el hogar y promover la educación. Ser testigo de primera mano de la lucha de estas familias, y también de su esperanza y perseverancia, fue realmente inspirador". En marzo, Gómez participó en el "Celebrity Tap Pack" del Proyecto Grifo de UNICEF, que incluía botellas de agua de edición limitada hechas a medida con agua del grifo de los hogares de cada uno de los defensores de los famosos para recaudar fondos y aumentar la visibilidad de los programas de agua potable y saneamiento. Todos los fondos recaudados (la campaña recaudó 900.000 dólares) permitieron suministrar agua potable limpia a niños de Vietnam, Togo, Mauritania y Camerún, países donde se necesita desesperadamente. También apareció en vídeos que promocionaban la campaña. En abril de 2012, defendió la campaña mundial "Haz sonar la alarma" en Facebook y Twitter, y grabó un anuncio público en el que animaba a los jóvenes a donar 10 dólares a través de un mensaje de texto para evitar la muerte de un millón de niños por malnutrición en la región del Sahel, en África Occidental y Central.

Gómez ha dirigido y organizado tres conciertos benéficos (2010-2013) para ayudar a UNICEF a proporcionar a niños de todo el mundo alimentos terapéuticos, medicamentos, agua potable, educación e inmunización que pueden salvarles la vida. En total, los tres conciertos benéficos de Gómez para UNICEF han recaudado casi 400.000 dólares para programas de UNICEF en todo el mundo. En 2014, Gómez visitó Nepal para concienciar sobre los niños necesitados. Embajadora de UNICEF desde 2009, Gomez ha desempeñado un papel activo en la defensa de los "niños más vulnerables del mundo" participando en varias campañas, eventos e iniciativas en nombre de la organización. En junio de 2021, Gómez firmó una carta abierta de UNICEF instando al G7 "a donar más vacunas contra el coronavirus a la iniciativa internacional COVAX."

Otras obras de caridad

Gómez participó en la campaña UR Votes Count, que animaba a los adolescentes a informarse sobre los candidatos presidenciales de 2008, Barack Obama y John McCain. Al año siguiente, Gómez se convirtió en embajadora de DoSomething tras participar en la organización benéfica Island Dog, que ayudaba a los perros de Puerto Rico. Gómez puso al día a sus fans en su blog de MySpace: "Vamos a pasar el día dando de comer a cachorros, lavándolos y pasando el rato con ellos. Después de pasar el día con ellos estamos enviando a estos perros a diferentes lugares en los EE.UU. los refugios de perros no-kill para que puedan encontrar un hogar [...]". Se unió mientras rodaba *Wizards of Waverly*

Place: La película en Puerto Rico. Gómez también ha colaborado con la organización benéfica RAISE Hope For Congo, una iniciativa de Enough Project, para ayudar a concienciar sobre los minerales conflictivos y la violencia contra las mujeres congoleñas.

De 2009 a 2012, Gomez participó en "Disney's Friends for Change", una organización que promovía "comportamientos respetuosos con el medio ambiente", y apareció en sus anuncios de servicio público. Gomez, Demi Lovato, Miley Cyrus y los Jonas Brothers grabaron el sencillo benéfico "Send It On" como el equipo musical ad hoc "Disney's Friends For Change", cuyos beneficios se donaron íntegramente al Disney Worldwide Conservation Fund. La canción debutó en el *Billboard* Hot 100 en el número 20. *Billboard* incluyó esta canción en su lista de Las 100 mejores canciones del Disneyverso de todos los tiempos (2023). En abril de 2012, Gomez fue nombrada embajadora de la Fundación Ryan Seacrest. El año anterior, Gomez hizo una aparición en el Hospital Infantil de Filadelfia durante una emisión de la Fundación Ryan Seacrest desde el centro multimedia del hospital. También fue portavoz de State Farm Insurance y apareció en numerosos anuncios de televisión, que se emitieron en Disney Channel, para concienciar sobre la importancia de ser un conductor seguro. Gómez narró *Girl Rising* (2013), un documental de la CNN centrado en el poder de la educación femenina que seguía a siete niñas de todo el mundo que intentaban superar obstáculos y perseguir sus sueños.

Gomez asistió al evento de empoderamiento juvenil We Day California en Los Ángeles en 2018 y 2019. Durante el evento de 2018, Gomez presentó a Nellie Mainor, una joven fan que padecía una rara enfermedad renal. Su participación en We Day 2019 fue su primera aparición después de un largo descanso de los focos. Gomez continuó su asociación con WE Charity cuando viajó a Kenia en diciembre de 2019 para conocer a la comunidad local y visitar las escuelas construidas por la organización.

Durante la temporada de incendios forestales en Australia 2019-20, Gomez donó 3 millones de dólares para luchar contra los incendios forestales en Australia e instó a sus seguidores a hacer lo mismo. En 2020, creó el Rare Impact Fund by Rare Beauty para ayudar a "los jóvenes a acceder a recursos de salud mental", y se ha comprometido a recaudar 100 millones de dólares en los próximos diez años. Para lograr ese objetivo, el uno por ciento de todas las ventas de su marca de productos Rare Beauty (sí, es bruto, no neto) se destinará al fondo. En su primer año, el Rare Impact Fund distribuyó 1,2 millones de dólares en subvenciones para apoyar a 8 organizaciones que trabajan para ampliar los servicios de salud mental en entornos educativos. Por cada episodio de su programa de cocina *Selena + Chef,* de HBO Max, el programa dona

10.000 dólares a la organización benéfica que elija el chef, a menudo relacionada con la alimentación. En 2021, a lo largo de dos temporadas del programa, se recaudaron 360.000 dólares para organizaciones sin ánimo de lucro. Gómez también dona el 10% de los ingresos netos de su colección de utensilios de cocina en colaboración con Our Place para apoyar a su Fundación Rare Impact. También es cofundadora de un sitio web llamado Wondermind que ayuda a las personas a cuidar su salud mental. En respuesta a la guerra de 2023 entre Israel y Hamás, Gómez y su marca de cosméticos Rare Beauty emitieron un comunicado sobre la crisis humanitaria en Gaza y donaron fondos a Magen David Adom en Israel y a la Media Luna Roja Palestina en Gaza y Cisjordania. Tanto Gomez como Rare Beauty fueron duramente criticadas por su declaración engañosa que daba a entender solidaridad con el pueblo de Gaza, mientras que donaban fondos a Magen David Adom, que es un servicio auxiliar de las Fuerzas de Defensa de Israel, implicadas en crímenes de guerra contra el pueblo de Gaza. En diciembre de 2023, Gómez asistió a la recaudación de fondos de Ramy Youssef para Gaza.

Impacto y defensa

Varios medios de comunicación se han referido a Gómez como la "Princesa del Pop", y varios periodistas la consideran una "triple amenaza", debido a sus exitosas carreras como cantante, intérprete y actriz. *The Guardian le* atribuye el mérito de popularizar el "whisper pop", un estilo de música pop caracterizado por voces suaves, silenciosas y jadeantes. *Rolling Stone India la considera uno* de los iconos más influyentes de la cultura pop de su tiempo. En 2017, *Time* la distinguió como una de las "mujeres que están cambiando el mundo" en su lista First Women Leaders. En 2020, Gómez recibió el Premio al Arte de la Hispanic Heritage Foundation por su impacto en la cultura global a través de su música, filmografía y defensa. En 2022, *People* nombró a Gómez como una de las 15 mujeres que están "cambiando la industria musical actual". *Variety* la considera una personalidad clave en los medios de comunicación mundiales, debido a su presencia "multifénica" que incorpora música, cine, televisión, cosméticos y activismo social. Gómez también fue incluida en la lista Power 100 de *The Hollywood Reporter* como una de las mujeres más poderosas del mundo del espectáculo.

Gómez aboga por diversas causas. Es conocida por concienciar con frecuencia sobre la salud mental. En 2019, recibió el Premio McLean a la defensa de la salud mental. En 2022, el Laboratorio de Innovación Sanitaria de Stanford le concedió el primer Premio a la Excelencia en la Defensa de la Salud Mental. Ese año, también recibió el Premio Morton E. Ruderman en Inclusión de la Fundación de la Familia Ruderman. Gómez ha mostrado su apoyo a la comunidad LGBT. Se unió a numerosas celebridades para escribir una "carta de amor" durante el mes del orgullo, como parte de los 30 Días del Orgullo de Bill*board* durante el mes de junio de 2016. También colaboró con otros 23 artistas en el single benéfico "Hands", un homenaje a las víctimas del tiroteo de la discoteca Pulse, con el fin de recaudar fondos para Equality Florida's Pulse Victims Fund, GLAAD y el GLBT Community Center of Central Florida. Ese año, donó los beneficios de su concierto Revival Tour en Carolina del Norte para luchar contra la reciente legislación del estado conocida como la "ley de los baños"; la ley, derogada en 2017, obligaba a las personas a utilizar los baños públicos en consonancia con su género de nacimiento a menos que hubieran realizado una transición completa.

A raíz de la prohibición del aborto en Alabama en mayo de 2019, Gomez se pronunció en Instagram a favor del derecho al aborto en Estados Unidos. En medio de la anulación de *Roe contra Wade* en junio de 2022, Gomez declaró que "no está contenta" y que "los hombres tienen que levantarse y hablar también en contra de este tema. También es la cantidad de mujeres que están sufriendo". Gómez es una crítica del racismo y apoyó el movimiento Black Lives Matter, prestando su cuenta de Instagram a Alicia Garza, cocreadora de Black Lives Matter y una de las fundadoras de Black Futures Lab, en junio de 2020. En mayo de 2021, Gómez participó en el *VAX Live: The*

Concert to Reunite the World organizado por Global Citizen para promover la distribución de vacunas COVID-19 en todo el mundo a través del programa COVAX. El evento instó a la gente a pedir a sus gobiernos que se comprometieran a destinar 22.100 millones de dólares a la distribución de vacunas. En mayo de 2022, MTV se asoció con Gómez y el Rare Impact Fund by Rare Beauty para organizar el Foro de Acción Juvenil sobre Salud Mental en la Casa Blanca en coordinación con la Administración Biden-Harris.

Vida privada

Propiedad

Gómez poseía una casa de 6,6 millones de dólares en Calabasas, Los Ángeles. En 2014, vendió su mansión en Tarzana, Los Ángeles, por 3,5 millones de dólares. En 2015, compró una mansión en Fort Worth, Texas, por 3,5 millones de dólares, y en octubre de 2018 la casa fue vendida. En 2020, Gómez se mudó a una mansión de 5 millones de dólares en el barrio de Encino, en Los Ángeles. Ese mismo año, vendió su casa en Studio City, Los Ángeles, por 2,3 millones de dólares.

Creencias religiosas

Gómez fue criada como católica. A los 13 años quiso un anillo de pureza y su padre fue a la iglesia para que se lo bendijesen. Ella ha dicho: "En realidad me utilizó como ejemplo para otros niños: Voy a cumplir mi promesa conmigo misma, con mi familia y con Dios". Gómez dejó de llevar el anillo en 2010. En 2017, dijo que no le gustaba el término "religión" y que a veces "me asusta", y agregó: "No sé si es necesariamente que creo en la religión tanto como creo en la fe y en una relación con Dios." En 2014, Gomez dijo que escuchó "Oceans (Where Feet May Fail)" de Hillsong United antes de actuar en los American Music Awards de 2014. En 2016, apareció en un concierto de

Hillsong Young & Free en Los Ángeles, dirigiendo la adoración cantando su canción "Nobody". Cuando un fan en Twitter le preguntó a quién se refería la letra de "Nobody", Gomez respondió que se refería a Dios. También versionó la canción "Transfiguration" de Hillsong Worship durante su gira Revival Tour. A partir de 2020, asiste a una congregación diferente en California, la Hillsong Church, y ha dicho que no se considera religiosa, sino que está más preocupada por su fe y su conexión con Dios.

Salud

A Gómez le diagnosticaron lupus en algún momento entre 2012 y principios de 2014. En septiembre de 2017, reveló en Instagram que se había retirado de actos públicos durante los meses anteriores porque había recibido un trasplante de riñón de la actriz y amiga Francia Raisa. Durante el trasplante, una arteria se rompió y se realizó una cirugía de emergencia para construir una nueva arteria utilizando una vena de su pierna.

Gomez ha hablado abiertamente de su lucha contra la ansiedad y la depresión. Empezó a hacer terapia a los veinte años y también pasó un tiempo en centros de tratamiento. Cuando alcanzó los 100 millones de seguidores en Instagram, Gomez dijo que "enloqueció" y desde entonces se ha tomado varios descansos prolongados de las redes sociales, debido en parte a los comentarios negativos. En abril de 2020 reveló que padece trastorno bipolar.

En octubre de 2022, Gomez canceló una aparición en *The Tonight Show Starring Jimmy Fallon* después de dar positivo por COVID-19. En noviembre de 2022, reveló que había sufrido un episodio de psicosis en 2018.

Relaciones

Gomez salió con el cantante Nick Jonas en 2008. Apareció en el vídeo musical de la canción de su banda "Burnin' Up". Desde diciembre de 2010 hasta marzo de 2018, Gomez mantuvo una relación intermitente con el cantante canadiense Justin Bieber. En 2015, comenzó a salir con el DJ ruso-alemán Zedd poco después de grabar su canción "I Want You to Know". Rompieron ese mismo año. En enero de 2017, Gomez empezó a salir con el cantautor canadiense The Weeknd. Se fueron a vivir juntos temporalmente más tarde, en septiembre, pero rompieron un mes después. En diciembre de 2023, Gomez confirmó que mantiene una relación con el productor discográfico estadounidense Benny Blanco.

Logros

Gomez ha ganado más de 240 premios: un American Music Award, un *Billboard* Music Award, 16 *Guinness World Records*, dos iHeartRadio Music Awards, seis Latin American Music Awards (es la tercera artista femenina más galardonada), dos MTV Video Music Awards, tres MTV Movie & TV Awards y cuatro People's Choice Awards. Por su trabajo musical, fue nominada a dos premios Grammy (incluido el de Álbum del Año como artista invitada) y a un Grammy Latino. Por su trabajo como actriz, ganó un Satellite Award y fue nominada a un Critics' Choice Television Award, dos Golden Globe Awards, tres NAACP Image Awards y tres Screen Actors Guild Awards. Como productora, fue nominada a cuatro premios Emmy, entre ellos: en la 74ª edición de los Primetime Emmy Awards, Gómez fue nominada a la mejor serie de comedia, lo que supuso la tercera vez en la historia de los premios que una latina figuraba entre los productores nominados para una serie de comedia, y volvió a ser nominada a este premio en la ceremonia siguiente, así como a un Daytime Emmy Award. Con 18 victorias, Gómez es la cuarta solista más premiada en los Teen Choice Awards. Actualmente ostenta el récord de victorias individuales en los Kids' Choice Awards (12). Además, ha recibido numerosos galardones por su labor filantrópica, benéfica y de defensa de la salud mental, como el Premio McLean, el Premio Stanford Healthcare Innovation Lab, el Premio Morton E. Ruderman a la Inclusión de la Ruderman Family Foundation y el Premio de Arte de la Hispanic Heritage Foundation por su impacto en la cultura mundial a través de su música, su filmografía y su labor de defensa.

Gomez ha sido incluida en numerosas listas de prestigio y ha sido galardonada por prestigiosas publicaciones y revistas. En 2015, Gomez fue galardonada con el premio Chart-Topper en el evento *Billboard* Women in Music. Al año siguiente, fue incluida en la lista 30 Under 30 *de Forbes* en la categoría de música, y de nuevo en 2020 en su categoría "All-Star Alumni". *Billboard* nombró a Gómez Mujer del Año en 2017, la incluyó en su lista de Grandes Artistas de Canciones Pop de Todos los Tiempos en 2018 y la nombró una de las 100 artistas con más éxito de la década de 2010 en 2019. *Time* la incluyó en su lista anual de las 100 personas más influyentes en 2020. Ese mismo año, también fue galardonada como una de las Damas Líderes del Entretenimiento por La Academia Latina de la Grabación. Entre 2022 y 2023, *The Hollywood Reporter* la incluyó en su lista anual de las 100 mujeres más poderosas del entretenimiento.

Gomez ha batido numerosos récords mundiales. En 2016, fue la persona más seguida en Instagram y la primera en alcanzar los 100 millones de seguidores. En febrero de 2023, recuperó su estatus como la mujer más seguida en Instagram, y se convirtió en la primera mujer en alcanzar los 400 millones de seguidores al mes siguiente. Es una de las personas más seguidas en Twitter, Spotify, Facebook y TikTok. Gomez ha encabezado tres veces consecutivas el *Billboard* 200, y una vez el *Billboard* Hot 100, y *el Billboard* Artist 100. En mayo de 2017, había vendido 24,3 millones de canciones en Estados Unidos, y en agosto de 2023, había vendido 3,6 millones de álbumes en Estados Unidos y vendido más de 11,5 millones de unidades equivalentes a álbumes. Según la Recording Industry Association of America (RIAA), ha conseguido 63 millones de unidades certificadas en EE.UU. Es una de las artistas más escuchadas en Spotify a nivel mundial. Seis de las canciones de Gomez han superado los mil millones de streams en Spotify, y dos de sus vídeos musicales han alcanzado más de dos mil millones de visualizaciones en YouTube ("We Don't Talk Anymore" es el vídeo musical publicado en 2016 con más visualizaciones en él).

Filmografía

Según el sitio web de crítica Rotten Tomatoes, entre los proyectos televisivos y cinematográficos de Gómez más aclamados por la crítica figuran *The Suite Life of Zack & Cody* (2006), *Hannah Montana* (2007), *Los magos de Waverly Place* (2007-2012), *Otro cuento de Cenicienta* (2008), *Programa de protección de princesas* (2009), *Ramona y Beezus* (2010), *Los Teleñecos* (2011), *Spring Breakers* (2012), *Hotel Transylvania* (2012-2022), *Girl Rising* (2013), *El regreso de los magos: Alex contra Alex* (2013), *Rudderless* (2014), *The Fundamentals of Caring* (2016), *Neighbors 2: Sorority Rising* (2016), *The Dead Don't Die* (2019), *A Rainy Day in New York* (2019), *Selena + Chef* (2020-2022), *Solo asesinatos en el edificio* (2021-presente) y *Selena Gomez: My Mind & Me* (2022).

Gómez también ha sido productora ejecutiva de las series de televisión *13 Reasons Why* (2017-2020) y *Living Undocumented* (2019).

Discografía

Álbumes de Selena Gomez & the Scene

- *Besar y contar* (2009)
- *Un año sin lluvia* (2010)
- *Cuando se pone el sol* (2011)

Álbumes en solitario

- *Las estrellas bailan* (2013)
- *Renacimiento* (2015)
- *Raro* (2020)

Visitas

Giras de Selena Gomez & the Scene

- Conciertos en directo (2009-2010)
- Gira "Un año sin lluvia" (2010-2011)
- Gira We Own the Night (2011-2012)

Viajes en solitario

- Gira de baile de las estrellas (2013-2014)
- Gira Revival (2016)

Otros libros de United Library

https://campsite.bio/unitedlibrary